1. DE MARES EN CHATEAUX

Garulfo

SCÉNARIO
ALAIN AYROLES

DESSIN
BRUNO MAÏORANA

COULEURS
THIERRY LEPRÉVOST

DELCOURT

Dans la même série :
Tome 1 : De mares en châteaux
Tome 2 : De mal en pis
Tome 3 : Le Prince aux deux visages
Tome 4 : L'Ogre aux yeux de cristal
Tome 5 : Preux et Prouesses
Tome 6 : La Belle et les bêtes
Preux et Prouesses édition luxe
Édition intégrale livre premier (tomes 1 et 2)
Édition intégrale livre deuxième (tomes 3 à 6)

Du même scénariste, chez le même éditeur :
• De cape et de crocs (sept volumes) - dessin de Masbou

Garulfo tome 1, De mares en châteaux
© 1995 Guy Delcourt Productions
Dépôt légal : janvier 1995. I.S.B.N. : 2-84055-045-8

Garulfo intégrale livre premier
© 2003 Guy Delcourt Productions
Dépôt légal : novembre 2003. I.S.B.N. : 2-84789-303-2

Tous droits réservés pour tous pays.

Conception graphique : Trait pour Trait

Achevé d'imprimer en avril 2006
sur les presses de l'imprimerie Lesaffre, à Tournai, Belgique.

www.editions-delcourt.fr

Dans le Royaume de Brandelune,

Au pied des tours du Château,

En deçà de la ville, au-delà des champs

À l'orée du bois,

Il y avait une mare,

Et près de cette mare

SPLIP

Vivait Garulfo,

1

Garoulfo était une grenouille :

UNE GRENOUILLE!

LA PESTE SOIT DE CES SAVANTS NATURALISTES

GALU

GALU

GALU

QUI VOUS BAPTISENT UNE ESPECE

SANS LUI DEMANDER SON AVIS!

UN OEIL MAL EXERCÉ, ABUSÉ PAR CE NOM TROMPEUR, POURRAIT, MALGRÉ MA MÂLE PRESTANCE, ME CROIRE DU SEXE FAIBLE!

ALORS GAROULFO, ON SOLILOQUE?

AH EULBERT! VOUS ÊTES BIEN LOIN DE CES PRÉOCCUPATIONS VOUS QUI ÊTES UN CANARD!

QU'EST-CE QUI VOUS TOURMENTE AINSI, VERDÂTRE AMI?

VOUS N'IGNOREZ PAS L'AFFECTION QUE JE PORTE AUX HUMAINS, CES CRÉATURES ADMIRABLES EN TOUT POINT...

OR VOICI QUE J'AI SURPRIS DEUX D'ENTRE EUX ÉVOQUANT CETTE LÉGENDE AUSSI TENACE QUE SOTTE, QUI VEUT QUE LES GRENOUILLES...

SOIENT LES FEMELLES DES CRAPAUDS!

COÏN, COÏN!

TENEZ! EN VOILÀ UN!

CRAPAUD?

AAH OUI.

JE RÉVÈRE CES FASTUEUX BIPÈDES.

UN MIEN COUSIN, QUI TRAVAILLE DANS UNE FERME, VOUS FERAIT ENTENDRE UN AUTRE SON DE CLOCHE.

PEUH!

VOTRE COUSIN EST UN ÂNE, QUI NE CONNAÎT PAS SA CHANCE!

ENFIN GAROULFO, NE PRENEZ PAS LA MOUCHE!

LE BONJOUR, MONSIEUR!

2

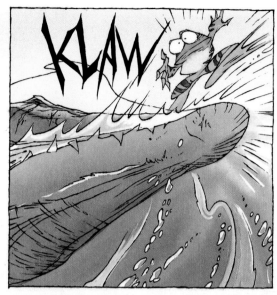

QUELLE... PUF... VIE DE... PUF... CHIEN !

COIN COIN !

VOUS AVEZ L'AIR MAL EN POINT !

MON BON FULBERT, VOUS ME TROUVEZ BIEN LAS !

JE CONNAIS CETTE VOIX !

IL Y A TOUT PRÈS D'ICI—MUNCH—UN DE VOS GRANDS AMIS LES HUMAINS—SLUP—SUR UNE BARQUE QUI...

SUR UNE BARQUE ?

QU'ATTENDIEZ-VOUS POUR M'Y CONDUIRE ? VOUS SAVEZ POURTANT LA PASSION QUE J'ENTRETIENS POUR CES FORMIDABLES MACHINES QUE LES HOMMES FAÇONNENT AVEC UNE HABILETÉ SANS PAREILLE !

MUNCH GLUP !

MAIS...P'TITES-MOI, QUE MÂCHEZ-VOUS DONC LÀ ?

JE NE MÂCHE RIEN CAR MON BEC EST DÉPOURVU DE DENTS. JE SUÇOTE EN REVANCHE DE DÉLICIEUSES FRIVOLITÉS QUE J'AI TROUVÉES LÀ, DANS CETTE FLAQUE.

SFLP

DES...FRIVOLITÉS ?

BÊTE IMMONDE, DÉVOREUR D'ENFANTS.

EUH... CES TÊTARDS ÉTAIENT DES PROCHES !

HORS DE MA VUE MISÉRABLE CHOSE AILÉE !

6

NE REPARAISSEZ JAMAIS DEVANT MOI VOUS EN QUI J'AVAIS PLACÉ MA CONFIANCE ET MON AMITIÉ !

MAIS, GARULFO, JE VOUS ASSURE QUE JE NE SAVAIS PAS !... SNIF

AVEUGLÉ PAR MA CANDEUR ET ATTENDRI PAR VOS PIEUSEUX CANCANS, J'OUBLIAIS QUE POUR NOUS, GRENOUILLES, ÉTERNELLES VICTIMES, IL N'Y A PAS D'AMIS DE PAR LE MONDE, SEULEMENT DES BOURREAUX, DES MONSTRES CRUELS, ATTACHÉS À NOTRE PERTE !

JE !...

PARTEZ !

POURQUOI SUIS-JE NÉ GRENOUILLE ?

OH ! UN CANARD !

♩♪

AAH ! BIENHEUREUX HOMME À LA BARQUE ! TU NE SAIS RIEN DE TOUS CES TOURMENTS.

♫♪♩

♩ WÔH NOM DI DJE C'EST UN GROS !

?

PLITCH PLATCH

7

9

Cet instant allait bouleverser la vie de Garulfo

ALLEZ HOP! DANS LA BOURRICHE!

...

Ô DIEUX CHAGRINS QUI M'AFFUBLÂTES DE CETTE SQUAMEUSE ENVELOPPE J'IRAI CONTRE VOS ÉDITS, CAR DUSSÉ-JE FRANCHIR MILLE LIEUES, DUSSÉ-JE VAINCRE MILLE PÉRILS, DUSSÉ-JE POUR CELA PERDRE MON ÂME...

JE SERAI UN HOMME!

Empreint d'une farouche détermination, Garulfo s'en fut vers le pré aux monstres qui marquait la limite du territoire des humains...

ARRIÈRE MONSTRES!

BRRR! QUEL ENDROIT INQUIÉTANT!

ET ALORS LA GRENOUILLE....

8

9

11

ILS S'EMBRASSÈRENT, S'ENTRETINRENT DE MILLES CHOSES FUTILES ET BELLES, AVIDES DE SAVOIR OUI SAVOIR

SPLASH

COMMENT AVAIENT-ILS PU VIVRE JUSQU'À VOUS NE M'ÉCOUTEZ QUE D'UNE OREILLE DISTRAITE, PRINCESSE HERMYLIE !

JE REPRENDS, GNAGNGNN ENFIN LE PRINCE DE BEAUTÉ DIT À SA PROMISE : "Ô MON AIMÉE VOUS M'AVEZ DÉLIVRÉ DE CE CHARME AFFREUX...

... ALLONS DE CE PAS TROUVER VOTRE PÈRE LE ROI, QU'IL BÉNISSE NOTRE UNION AFIN QUE LE SORTILÈGE SOIT À JAMAIS ROMPU PAR LA FORCE DE NOTRE AMOUR." ILS SE MARIÈRENT ET EURENT DES LARDONS À PLUS SAVOIR QU'EN FOUTRE —TERMINÉ—

CLAP

VOUS AVEZ TORT DE NÉGLIGER L'ENSEIGNEMENT QUE PEUVENT APPORTER LES CONTES !

ON EST PARFOIS SURPRIS DE VOIR COMBIEN CE QU'ILS DÉCRIVENT RÉSUME LA VIE, SES DÉTOURS ET SES MYSTÈRES !

LES PRINCES AUXQUELS J'ASPIRE NE SONT PAS CEUX DES CONTES DE FÉES... IL SERAIT GRAND TEMPS QUE PÈRE SONGE À ME MARIER...

DES RUMEURS COURENT AU SUJET D'ANJALBERT DE GONFALON, LE FAMEUX POURFENDEUR DE DRAGONS...

IL VISITERAIT UN PAR UN TOUS LES ROYAUMES POUR Y TROUVER UNE ÉPOUSE DIGNE DE LUI.

IL EST À CE QU'ON DIT BEAU COMME UN DIEU, BRAVE COMME... UNE GRENOUILLE ?

ON VA BIEN VOIR SI ÇA MARCHE, VOTRE...MMOUiiKTCH !

10

12

LE PRINCE ANJAUBERT DE GONFALON! BEUPF! QUELQU'UN QUI PASSE LE PLUS CLAIR DE SON TEMPS À POURFENDRE DES DRAGONS NE FAIT PAS UN BON ÉPOUX!

BWÊER!

ÇA PART EN CROISADE TOUS LES QUATRE MATINS, TRAÎNE DANS LES TAVERNES EN RENTRANT, POURFEND UN DRAGON DE TROP ET VOUS VOUS RETROUVEZ AVEC UN GRAND BRÛLÉ DANS LE LIT!

WUF

PF! QUE SAVEZ-VOUS DES HOMMES, VOUS QUI MENÂTES UNE SI CHASTE ET DÉVÔTE EXISTENCE?

CROIS-MOI, PRINCESSE, APRÈS VINGT-CINQ ANS DANS LES NONNES PONTIFICALES, J'EN CONNAIS UN RAYON SUR LA QUESTION.

PIPEAU ET COMPAGNIE!

L'HISTOIRE AVAIT POURTANT L'AIR PLAUSIBLE.

11

13

14

BONSOUR PETIT INGRÉDIENT.

BONSOUR MADAME LA FÉE !

AH AH ! EH OUI !

S'AI DEVINÉ QUE VOUS ÊTES UNE FÉE : VOUS M'AVEZ PARLÉ EN GRENOUILLE. OR SEULES LES FÉES CONNAISSENT LE LANGAGE DES ANIMAUX !

UNE FÉE !

KH KHH KH

MAIS PAUVRE PETIT LAPIN, NE VOIS-TU PAS QUI JE SUIS?

13

MMMOUI... EN AMALGAMANT DEUX-TROIS FORMULES LIÉES PAR UN DES NOMS TRÈS ANCIENS INVOQUER LA MALVEILLANTE INDULGENCE DE QUELQUE HIDEUSE DIVINITÉ CHTONIENNE FLATTÉE PAR LES FRAGRANCES DÉLÉTÈRES D'UN OBSCUR CATALYSEUR...

UNE LARME DE ≥MMMPH≥ SUBSTRAT D'ALICANTE DEVRAIT FAIRE L'AFFAIRE...

Stnavius Semot
Sel Zetehca
Lani Milbus
Egassem !!

Stnavius Semot
Sel Zetehca
Lani Milbus
Egassem

Stnavius Semot
Sel Zetehca...

15

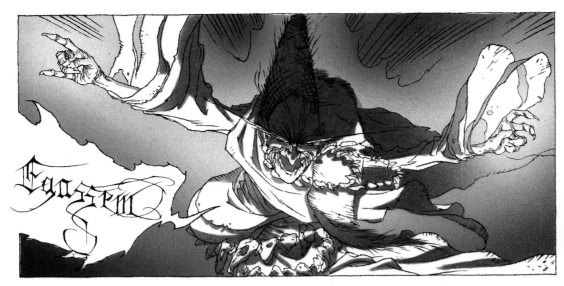

Eggsem

C'EST TOUT?

BON, EH BIEN IL NE ME RESTE PLUS QU'À PRENDRE CONGÉ. C'EST, JE PENSE, AU CHÂTEAU QUE JE RETROUVERAI LA PRINCESSE AUSSI VAIS-JE M'Y RENDRE DE CE PAS, SANS OUBLIER DE VOUS REMERCIER POUR...

BORIS, RACCOMPAGNE LE MONSIEUR!

VA, AMBITIEUX AMPHIBIEN, ACCOMPLIS TON DESTIN... JE SAURAI BIEN TE RETROUVER! GNIHIII HINHIN HINNN...

DITES-MOI BORIS, SOMMES-NOUS ENCORE LOIN DU CHÂTEAU?

BEN... À VOL D'OISEAU...

16

17

Garulfo trébuche !

C'EN EST FAIT DE MOI !

VOUS NE VOUS ÊTES PAS FAIT MAL AU MOINS ?

BOK

AGROOOAARRRR

PUISQUE C'EST COMME ÇA, J'IRAI À PIED !

Mais...

ON EST PAS RENDU !

GAW GAW GAW

En effet.

18

J'FAIS C'QUE J'VEUX !

LA NUIT VA VOUS TOMBER DESSUS COMME LA VÉROLE SUR LE BAS-CLERGÉ ET VOTRE JOYEUSE CAVALCADE VA TOURNER AU TRAGIQUE !

HOOLA TOUT DOUX

J'EN AI PLUS QU'ASSEZ DE VOS FRILEUSES MISES EN GARDE, NOÉMIE ! VOUS ME MORIGÉNEZ SANS CESSE, OUBLIANT MON RANG ET LE RESPECT QUI LUI EST DÛ !

...E TOUTE FA... SUIS ASSE... ANDE POUR SA... QUE J'AI À FA...

PAS DE DOUTE, C'EST BIEN ELLE !

DÈS LE CRÉPUSCULE, BRIGANDS, CHATS-HUANTS ET MOINES BOURRUS PARTENT EN MARAUDE... LES BOIS EN SONT FARCIS... SANS PARLER DES LOURS ! ILS VOUS MANGERONT, TOUTE PRINCESSE QUE VOUS ÊTES !

TALWEG, MON CHEVAL !

HÉ ! COA !

AÏE MISÈRE ! CETTE JEUNE OIE ME RENDRA CHÈVRE !

?

GAW GAW

UNE GRENOUILLE !

VIENS ÇA' QUE JE TE DONNE UN BAISER !

SBOT

21

23

FLOUF

OH! INUTILE DE ME REGARDER COMME CELA. C'EST À VOS HISTOIRES À LA NOIX QUE JE DOIS MON AVERSION POUR CES INFECTES BESTIOLES...

↑?

ASSEZ PERDU DE TEMPS!

C'EST ÇA, ASSEZ PERDU DE TEMPS: FINI PROMENADE, AU CHÂTEAU!

NAN!

PFRRRRR...

QU'ELLE EST BELLE QUAND ELLE EST EN COLÈRE...

ARF BARF

BÉ... D'OÙ QU'Y SORT, CE CRAPAUD?

CATACLOP CATACLOP

PETITE P... PESTE!

OOOH... ELLE A L'AIR BIEN TRISTE, CETTE POV' BÊTE!

C'EST ÇA, ALLEZ-Y, PROPULSEZ-MOI DANS LES AIRS...

HO! LE LOUFIAT! RESTÉ PAS PLANTÉ LÀ, ON DÉCROCHE!

FAUT PAS FAIRE CETTE TÊTE-LÀ!

MMOUÏCH!

FOUTCH!

ET OÙ IL EST?

22

24

PIPEAU INTÉGRAL!

?!

HEU... BONJOUR MONSIEUR

'EST 'AS VRAI!?

ÇA... A.... MAR.... CHÉ!

YAOUUH
GAW

Garulfo ne laissa pas d'exprimer sa joie :

OUAAIIS!

FAÏÏÏ!!

HÔWWW!!

GAW
PLOUF

WOUHOUHOUUUH HÉ HÉ HÉÉÉ!

"Bon, ce n'est pas le moment d'oublier quelque chose". Songea-t-il... "Premièrement, embrasser la princesse, c'est chose faite. Deuxièmement...

ÉPOUSER PRINCESSE!

COMMENT VOUS NOMMEZ-VOUS, RAVISSANTE BIPÈDE?

PIPA M'SIEUR.

23

EN VOUS! TROMPETTES OISIVES! JUSTIFIEZ VOS GAGES: SONNEZ À VOUS EN ROMPRE L'AORTE!

SA MAJESTÉ EST UN MONARQUE DÉLICIEUX QUE JE SERS AVEC UNE DÉVOTION CONFINANT AU SACERDOCE. N'HÉSITEZ PAS À LE LUI RAPPELER. NOUS NOUS DIRIGEONS ACTUELLEMENT VERS LA SALLE DU TRÔNE, UN PUR JOYAU D'ARCHITECTURE GOTHIQUE.

UN COUPLE PRINCIER! VOICI DES LUSTRES QUE NOUS NE RECEVONS QUE D'INSIGNIFIANTS BARONETS... VOUS ÊTES FORMIDABLES!

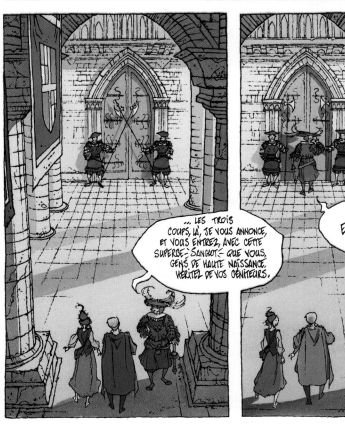

... LES TROIS COUPS, LÀ, JE VOUS ANNONCE, ET VOUS ENTREZ, AVEC CETTE SUPERBE-SANGLOT- QUE VOUS, GENS DE HAUTE NAISSANCE, HÉRITEZ DE VOS GÉNITEURS.

ÇA VA ENVOYER DU PÂTÉ!

BOM BOM BOM

PRINCE GARULFO ET PRINCESSE PIPA!

25

27

LE CHAMBELLAN AVAIT RAISON, SIRE: SON ASSURANCE EN DIT LONG... IL DOIT ÊTRE PUISSANT, TRÈS PUISSANT.

BONJOUR LE ROI! PIPA ET MOI ON VA SE MARIER, ET VU QUE VOUS ÊTES SON PAPA, IL FAUDRAIT QUE VOUS BÉNISSIEZ NOTRE UNION AFIN QUE LE SORTILÈGE SOIT À JAMAIS ROMPU PAR LA FORCE DE NOTRE AMOUR.

26

Le roi était moyennement débonnaire :

QU'ON LUI COUPE LA TÊTE !

C'EST DONC CELA L'ÉTIQUETTE ? C'EST UN PEU BRUSQUE !

QU'EST-CE QUE JE DOIS DIRE ?

UN INSTANT, SIRE....

PRUDENCE, VOTRE MAJESTÉ. VOTRE COURROUX —QUI EST JUSTE— ET CETTE SENTENCE —ADÉQUATE— RISQUENT DE CRÉER UN INCIDENT DIPLOMATIQUE MAJEUR... IL S'AGIT LÀ D'UN PRINCE DE HAUT RANG, NON D'UN HOBEREAU DE SECOND ORDRE...

QUELLE EST CETTE DEUXIÈME FILLE DONT L'EXISTENCE NOUS EST INOPINÉMENT RÉVÉLÉE ?

Le Roi se prit à penser

LE COMTE A RAISON, JE SUIS UN PEU SOUPE AU LAIT. MAIS L'ARROGANCE DE CETTE PETITE FRAPPE DOIT CACHER QUELQUE CHOSE.

RELACHEZ-LE ET EXCUSEZ-VOUS.

ALORS... VOUS NOUS MARIEZ ?

IL ME RAMÈNE DE LA PROGÉNITURE INÉDITE, ET NIPPÉE COMME UNE SERVANTE PAR-DESSUS LE MARCHÉ !... BON DIEU ! J'Y SUIS !

C'EST VRAI QUE DES SERVANTES, DANS LE TEMPS... HÉ HÉ ! J'ÉTAIS JEUNE, ELLES ÉTAIENT GRASSES ! CELLE-CI A L'ÂGE DE MES DERNIÈRES TURPITUDES... SERAIT-IL POSSIBLE QUE...

27

Et de penser encore :

UNE FILLE ILLÉGITIME ! UNE VRAIE DE VRAIE...L'OUTRECUIDANT FOUTRIQUET DOIT DÉTENIR LA PREUVE QUE CETTE SOUILLON EST LE FRUIT DE MES COUPABLES ESCAPADES... UNE MARQUE DE NAISSANCE OU UNE CONNERIE DANS LE GENRE....

LA COUR COMMENCE À MURMURER... ET CETTE ORDURE DE CHAPELAIN QUI ME REGARDE DE TRAVIOLE...SÛR QU'IL VA ME BALANCER AU PAPE !

VA FALLOIR TROUVER QUELQUE CHOSE....ET VITE ! QUELQUE CHOSE QUI PLAISE AU CLERGÉ, À LA NOBLESSE ET AUX BOUSEUX....

LES SARRASINS !

OUI ! LES SARRASINS QUI T'ENLEVÈRENT JADIS, TE SOUSTRAYANT À L'AFFECTION DES TIENS !

À NOTRE AFFECTION, CAR TU ES NOTRE FILLE ! NOTRE ENFANT, CHÈRE ENFANT... TA MÈRE, LA REINE-MÈRE -DIEU L'AIT EN SA SAINTE GARDE- ET NOUS-MÊME NE CROYIONS PAS TE REVOIR UN JOUR... COMME TU AS GRANDI !

POUR CÉLÉBRER CE MIRACULEUX ÉVÈNEMENT ET HONORER LE GENTIL PRINCE QUI T'A ARRACHÉE AUX MOITES MAINS DES MAURES, UN SOMPTUEUX BANQUET VA ÊTRE DRESSÉ SUR L'HEURE !

LONGUE VIE AU ROI
VIVE LA PRINCESSE
VIVE LE PRINCE
MORT AUX SARRASINS

28

"...AAH! IMPÉTUOSITÉ DE LA JEUNESSE! UN TEL MARIAGE NE S'IMPROVISE POINT, IL NOUS FAUT MANDER UN ÉVÊQUE, POUR LE MOINS, UN CARDINAL, VOIRE. NOUS DEVRONS AUSSI ÉVOQUER LES QUESTIONS DE DOT, TERRES ET ALLIANCES... PRENEZ PATIENCE, PRINCE, ET ACCEPTEZ D'ÊTRE, DANS L'ATTENTE DE CE RADIEUX HYMÉNÉE, NOTRE HÔTE TRÈS CONSIDÉRÉ !

EN TOUT CAS, T'AVISE PAS DE DÉMENTIR CETTE HISTOIRE DE SARRASINS, IL EN VA DE NOTRE INTÉRÊT À TOUS DEUX, ET SI ON TE DEMANDE AU SUJET DE LA PRINCESSE TU RÉPONDS COMME JE T'AI DIT, CAPITO ?

JE NE VOUDRAIS VOUS CONTRARIER EN AUCUNE FAÇON ! SI VOUS SAVIEZ L'ESTIME ET L'AF- FECTION QUE JE VOUS PORTE, À VOUS ET À VOS SEMBLABLES....

SPAT

GLOP !

29

31

JE PENSE, SIRE, QU'IL S'AGIT LÀ DE QUELQUE RAFFINEMENT DES COURS À LA PAGE.

AH? BIEN, SOIT!

AHEM... ALTESSE?

?

JE N'AI PAS ENCORE EU L'HONNEUR DE VOUS ÊTRE PRÉSENTÉ...

JE SUIS LE COMTE HÉGUEULARD DE GUEZBERQUES.

... MINISTRE ET PREMIER CONSEILLER DE SA ROYALE MAJESTÉ.

WAOW!

... UNE. TÊTE DE LOUP!

SI FAIT. CETTE BAGUE EST L'INSIGNE DE MA CHARGE DE GRAND VENEUR. OUI... JE SUIS AUSSI GRAND VENEUR!

VOUS AIMEZ LA CHASSE?

OH! JE PENSE ÊTRE UN ASSEZ FIN GOBEUR...

ET BIEN PERMETTEZ-MOI DE VOUS CONVIER DÈS DEMAIN MATIN...

DIX ÉCUS SUR L'OURS... VAS-Y L'OURS!

TENU, SIRE!

... À UNE GRANDE CHASSE AU LOUP EN FORÊT DE OUINCHES!

AH BEN... JE SUIS GÂTÉ!

30

32

VENEZ PRINCE, NOUS ALLONS VOUS ACCOMPAGNER JUSQUE À VOS APPARTEMENTS.

VOUS ÊTES, GENTIL!

"VOUS ÊTES GENTIL!" UN ROI M'AURAIT RÉPONDU: "C'EST TROP D'HONNEUR, SIRE." ET LUI, IL ME DIT: "VOUS ÊTES GENTIL!"

MAIS D'OÙ TU SORS?

EUH...

ET DIRE QUE JE TE PRENAIS POUR UN PETIT MALIN QU'EN AURAIT EU APRÈS MA COURONNE! MAIS T'ES PAS FINAUD FINAUD, PAS VRAI? ET PUIS T'AS L'AIR FRANC COMME DU PAIN BLANC! ÇA ME CHANGE DES REPTATIONS OBSÉQUIEUSES DE CES PEIGNE-CULS DE COURTISANS!

NOÉMIE! QU'APPRENDS-JE? PÈRE A DONNÉ UN BANQUET?!

SA MAJESTÉ N'A PAS DAIGNÉ M'ATTENDRE! JE SUIS SÛRE QU'IL N'A MÊME PAS REMARQUÉ MON ABSENCE!

JE LUI DIS?

OUI...

QUOI?! OOH! C'EST LE BOUQUET!

... ET ENTRE NOUS, ADULTÈRE OU INFIDÈLES...

... C'EST DU PAREIL AU MÊME: ME V'LÀ AVEC DEUX FILLES ET UN GENDRE EN PRIME!

... ET C'EST PAS POUR ME DÉPLAIRE...

FAIS D'BEAUX RÊVES

BONSOIR!

31

33

COA
COA
COA
COA
COA

CAW
CAW
CAW

GAW
GAW

EH BIEN! QUELLE JOURNÉE.... CE MATIN ENCORE J'ERRAIS, PRIVÉ DE RAISON, DANS UNE ANIMALITÉ AVEUGLE ET COASSANTE.... ET ME VOICI, DÎNANT EN COMPAGNIE D'HUMANISTES BIENVEILLANTS, M'ÉTENDANT SUR DE MOELLEUSES STRUCTURES....

J'AI HÂTE DE FAIRE PART DE TOUTES CES MERVEILLES AU SCEPTIQUE FULBERT: L'HOMME EST BON EN VÉRITÉ, IL NE POURRA NIER CETTE EMPIRIQUE CONSTATATION! AH, CHER PALMIPÈDE, VOUS NE SAVIEZ PAS CE QUE VOUS FAISIEZ.... JE REGRETTE CE SOIR LES MOTS SI DURS QUE J'EUS POUR VOUS!

TOC TOC

OUI?

EUH.... BONSOIR VOTRE ALTESSE

JE.... JE CROIS QUE JE ME SUIS TROMPÉE DE CHAMBRE ET JE VOULAIS VOUS SOUHAITER LA BIENVENUE DANS CE PRINCE EUH CHÂTEAU JE N'ÉTAIS PAS DEHORS LORSQUE VOUS ÊTES ARRIVÉ....

...

OH MON DIEU! EXCUSEZ-MOI JE DOIS AVOIR L'AIR D'UNE SOTTE.... JE DÉSIRAIS SIMPLEMENT VOUS PARLER....PÈRE N'A PAS CRU BON DE NOUS PRÉSENTER.... OOH DITES QUELQUE CHOSE, NE ME LAISSEZ PAS DANS CET EMBARRAS!

VOUS....VOUS NE M'EN VOULEZ PAS TROP?

OEIL POUR OEIL!

SBOT

32

34

DANS CE CAS...

TCHAK

FLETCH

ET VOILÀ! UN ÊTRE NUISIBLE RAYÉ DE LA SURFACE DE LA TERRE... MAINTENANT, AU SUIVANT!

JE VAIS PLACER CE PIÈGE AUPRÈS DE LA DÉPOUILLE...

LA LOUVE AFFLIGÉE VIENDRA IMMANQUABLE-MENT RÔDER AUTOUR DE LA CHAROGNE QUI FUT JADIS SON COMPAGNON, ET LÀ...

CLAC!

LES MÂCHOIRES D'ACIER SE REFERMERONT SUR LA BÊTE! ELLE AGONISERA DES HEURES DURANT AVANT DE RENDRE L'ÂME DANS UN PITOYABLE GEIGNEMENT!

VOUS...

VOUS ÊTES MÉCHANT!

37

39

DE GUEZBERQUES EST UN MONSTRE... LA HONTE DE L'HUMANITÉ...

HUM! SI JE PUIS ME PERMETTRE...

VOUS SEMBLEZ NE PAS EN ÊTRE, EN DÉPIT DES APPARENCES. CROYEZ-MOI, POUR LES AVOIR FRÉQUENTÉS DEPUIS LA NAISSANCE, JE PUIS VOUS AFFIRMER QUE LE CAS DU COMTE HÉGUEULARD DE GUEZBERQUES N'EST PAS ISOLÉ...

L'HUMAINE NATURE EST AINSI FAITE : BEAUCOUP DE PIRE POUR UN BRIN DE MEILLEUR...

JE ME REFUSE À VOUS CROIRE! POUR PREUVE DU CONTRAIRE, JE M'EN VAIS TROUVER L'HOMME LE PLUS ADMIRABLE QUI FÛT. PRENEZ À DROITE!

TIENS! V'LA' LA REINE DE LA NUIT!

...ET EN PLEIN JOUR ENCORE!

TA GUEULE.

ALORS, JEAN TORTECAGNE, TOUJOURS AUSSI BORGNE?

SALUT, BEAUTÉ, QUOI D'NEUF AU PALAIS?

ÇA TE DIRAIT DE GAGNER HONNÊTEMENT QUATRE SOUS?

ANNONCE.

EN ÉCRASANT DE LA VERMINE!

C'EST DANS MES CORDES!

38

40

ATTENTION, TORTECAGNE, C'EST DU GROS GIBIER... LE SANG SUR TA LAME SERA BLEU... UN PRINCE !

HÔÔO ! C'EST QUE ÇA PEUT COÛTER TRÈS CHER ÇA, DIS DONC !

AUTANT À LA REMISE DU TROPHÉE !

TOPE LÀ !

ALORS... ÇA MORD ?

PITIÉ MESSIRE ! JE... C'EST LA PREMIÈRE FOIS QUE JE FAIS ÇA... JE N'AI JAMAIS PÊCHÉ !

MAIS SI ! JE VOUS AI VU HIER, ATTRAPER CE GROS BROCHET DANS L'ÉTANG !

PLOUF

OH MON DIEU ! OUI, J'AVOUE, JE BRACONNE PARFOIS, MAIS GRÂCE, MON BEAU SIRE, J'AI SIX ENFANTS À NOURRIR, GRÂCE !

ENFIN, MONSIEUR LE PÊCHEUR ! C'EST RIDICULE, RELEVEZ-VOUS ! J'AI ARPENTÉ TOUTES LES BERGES À VOTRE RECHERCHE, AFIN DE VOUS FAIRE PART DE LA HAUTE ESTIME EN LAQUELLE JE VOUS TIENS !

39

...ALORS LES ÉCREVISSES, ELLES RENTRENT DANS LE FAGOT, POUR Y ALLER MANGER, VOUS VOYEZ, ET PIS APRÈS, BÉ ELLES PEUVENT PLUS RESSORTIR...

IL Y A QUELQUE TEMPS DE CELA, UN DE CES IRASCIBLES CRUSTACÉS A FAILLI ME SECTIONNER UNE PATTE, JE N'AI DÛ MON SALUT QU'À ...!?

AH MAIS! C'EST INCROYABLE, ÇA! ON DIRAIT QUE JE VOUS FAIS PEUR! MON ASPECT SERAIT-IL REPOUSSANT? ON NE M'EN A RIEN DIT JUSQU'À PRÉSENT!

BEN... C'EST QU'EN GÉNÉRAL, VOTRE GRÂCE, QUAND QUELQU'UN DE VOTRE HAUTEUR DESCEND VERS LE BAS PEUPLE, C'EST POUR LUI BOTTER LE CUL... SAUF VOT' RESPECT!

ET J'COMPRENDS PÔ ... VOTRE SEIGNEURIE A VOULU M'SUIVRE AUX ÉCREVISSES ET M'PARLE COMME SI J'ÉTAIS D'SON MONDE!...

ENFIN, MONSIEUR! J'AI MAINTENANT UN NEZ ET DES OREILLES COMME VOUS, JE NE VOIS PLUS AUCUN OBSTACLE À NOTRE AMITIÉ!

JE NE SUIS PAS NAÏF, VOUS SAVEZ, JE SAIS RECONNAÎTRE UN MÉCHANT HOMME, J'EN AI VU UN, DÉJÀ,

UN? DAME! SI Y' AVAIT AUTANT D'ÉCREVISSES DANS CE TROU QUE J'AI VU DE MAUVAISES GENS DANS MA VIE,...

... LE RUISSEAU IL DÉBORDERAIT!

POUR SÛR!

HOURRA! SAUREZ-VOUS LES ACCOMMODER?

ON VA S'EN METTRE PLEIN LA PAILLASSE!

40

42

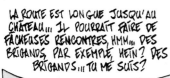

MAIS QUEL COUILLON !

J'EN AI TROP VU !

QUI PEUT SE SOUCIER DU SORT D'UN TEL DEMEURE ?

Grand Duc...ok
Chouette...ok
Boris...mid

BLUB
BLUB
BLUB

OOOH !

BLUB
BLUB

CA, C'EST LE GÉNÉALOGISTE DU ROI : IL VIENT DE S'APERCEVOIR QUE GARULFO EST UN IMPOSTEUR !

C'EST QUI CELUI-LÀ ?

ET CEUX-LÀ ?

CE SONT LES HOMMES DE MAIN DU COMTE DE GUEZBERQUES, EN ROUTE POUR ALLER TUER GARULFO !

LES SUIVANTS, JE LES RECONNAIS : C'EST LES BRIGANDS ENGAGÉS PAR LA DUÈGNE... ILS VEULENT TUER GARULFO AUSSI !

HOULÀLÀ ! IL EST MAL BARRÉ !

OOH PAUVRE FULBERT ! ON DIRAIT QU'IL A FAIT UNE BIEN MAUVAISE RENCONTRE !

46

ET ÇA ? C'EST QUOI, ÇA ?

UN... UN DRAGON !

UN DRAGON ?

HÉÉÉÉ ! Y'A PLUS DE BULLES !

PET

Fin de la première partie